CÃO COMO NÓS

Manuel Alegre de Melo Duarte nasceu em Águeda a 12 de Maio de 1936. Estudou em Lisboa, no Porto e na Faculdade de Direito da Universidade de Coimbra. Foi campeão de natação e actor do Teatro Universitário da Universidade de Coimbra (TEUC). Em 1961 é mobilizado para Angola onde participa num movimento de resistência no interior das Forças Armadas e numa tentativa de revolta militar. Preso pela Pide passará seis meses na fortaleza de S. Paulo em Luanda onde encontra Luandino Vieira. Ali escreve grande parte dos poemas do seu primeiro livro *A Praça da Canção* (1965). No início de 1964 volta a Coimbra mas a perseguição policial obriga-o à clandestinidade e à emigração. Em Outubro de 1964 é eleito membro do comité nacional da Frente Patriótica de Libertação Nacional e passa a trabalhar em Argel na emissora «Voz da Liberdade». Regressa a Portugal após o 25 de Abril de 1974. Deputado pelo Partido Socialista e vice-presidente da Assembleia da República. É autor, entre outras obras, de *30 Anos de Poesia* (prefácio de Eduardo Lourenço, 1995), que assinala os 30 anos da publicação de *A Praça da Canção*, do volume de contos *O Homem do País Azul (1989),* dos romances *Jornada de África* (1989), *Alma* (1995) e *A Terceira Rosa* (1998), da colectânea de textos políticos *Contra a Corrente* (1997), do volume de ensaios *Arte de Marear* (2002) e dos livros de poesia *Senhora das Tempestades* (1998), *Rouxinol do Mundo – Dezanove Poemas Franceses e um provençal subvertidos para Português* (1998) e *Livro do Português Errante* (2001). Ao seu livro *Senhora das Tempestades* foram atribuídos o *Grande Prémio da Poesia APE-CTT 1988* e o *Prémio da Crítica de 1998* da Associação Internacional dos Críticos Literários. Em 1999 foi-lhe atribuído o *Prémio Pessoa* pelo conjunto da sua obra e o *Prémio Fernando Namora* pelo livro *A Terceira Rosa*.

A sua poesia encontra-se reunida em *Obra Poética* (1999), onde estão incluídos, entre outros, os seus livros *Pico, Alentejo e Ninguém* e *Che* bem como inúmeros inéditos. *Cão Como Nós* é a sua obra mais recente.

Manuel Alegre

CÃO COMO NÓS

Novela

7.ª edição

DOM QUIXOTE

Biblioteca Nacional – Catalogação na Publicação
Alegre, Manuel, 1936-
Cão como nós. – (Autores de língua portuguesa)
ISBN 972-20-2301-2
CDU 821.134.3-34 "19"

Publicações Dom Quixote
Rua Cintura do Porto
Urbanização da Matinha – Lote A – 2.º C
1900-649 Lisboa • Portugal

Capa: Atelier Henrique Cayatte
Foto do autor: Luís de Carvalho

Revisão tipográfica: Álvaro Marques
1.ª edição: Setembro de 2002
7.ª edição: Abril de 2003
Fotocomposição: Segundo Capítulo
Depósito legal n.º 193 915/03
Impressão e acabamento: Gráfica Manuel Barbosa & Filhos

ISBN: 972-20-2301-2

CÃO COMO NÓS

1.

(Sei que andas por aí, oiço os teus passos em certas noites, quando me esqueço e fecho as portas começas a raspar devagarinho, às vezes rosnas, posso mesmo jurar que já te ouvi a uivar, cá em casa dizem que é o vento, eu sei que és tu, os cães também regressam, sei muito bem que andas por aí.)

2.

Não era um cão como os outros. Já o meu pai o dizia, quando caçávamos às codornizes nos campos de Águeda.

– Este cão é um grande sacana, caça um bocado e depois põe-se a fazer a parte, olha para ele, está-se nas tintas para as codornizes e para nós.

Era uma das suas características, fazer ouvidos moucos, aparentar indiferença, fosse por espírito de independência fosse porque gostava de armar à originalidade. Mais tarde um dos meus filhos diria que o cão tinha apanhado os tiques de certas pessoas da família, numa alusão indirecta ao avô e a mim, esquecendo-se que era a ele próprio a quem o cão mais imitava.

Mas era, também, um cão capaz do inesperado, como, de repente, levantar uma narceja.

Então o meu pai comovia-se:

– Este filho da mãe podia ser um bom cão, é pena não estar para isso.

Mas não estava, essa era a questão. Ele nunca estava para aquilo que dele se pretendia. Desobedecer era a sua divisa, a gente a chamar e ele a fazer de conta. Desde que chegou, ainda cachorro.

– De se comer, dizia Mafalda, minha mulher, embevecida.

Mas à noite, logo que se fechou a porta da cozinha, começou o fadário, palavra que minha mulher repetiria durante muitos anos. O fadário tanto podia ser ele raspar a porta até ficar com as unhas em sangue, como uivar até que alguém aparecesse. Mesmo que fosse para lhe dar umas sapatadas. Parece que gostava, pelo menos preferia isso a estar fechado e sozinho. Queria que lhe prestassem atenção, ser o centro, ainda que para tal, mesmo já depois de muito ensinado, tivesse que mijar o chão da cozinha ou, em ocasiões de especial susceptibilidade, o tapete da sala.

Então, a minha mulher dizia como quem carrega uma cruz: Isto é um fadário.

E ele abanava o rabo, todo contente. Tinha conseguido o que queria: a atenção da dona,

12

a quem acho que considerava mãe. Por isso lhe queria tanto e a atormentava até mais não. Mas não só a ela. A todos nós. Era talvez um excesso de paixão misturado com altivez e alguma perversidade.

– Vem cá.

É o vens.

– Vai-te embora

E ele vinha.

– Fica

E ele virava as costas.

– Em pé

E ele deitava-se.

Talvez fosse da raça, épagneul-breton, L.O.P., de manchas castanhas e uma espécie de estrela branca no meio da cabeça, por sinal muito bonita.

– Puro demais, dizia o meu pai. Este cão tem a mania que é fino.

Fino e fidalgo. Lemos livros e revistas sobre a raça, todos sublinhavam o carácter afectivo destes cães que só são felizes quando ao pé do dono.

Esqueciam o resto, a rebiteza, a dificuldade em obedecer, a irrequietude, o exibicionismo. Ou então era este que era diferente. O sonho dele era dormir no mesmo quarto, senão na mesma cama de um de nós. E ter alguém, especialmente a dona, a tratar dele. Queria estar sempre junto de um de nós, principalmente daquele que o não quisesse ao pé de si. E não podia ver uma porta fechada. Começava logo a raspar.

– Este cão tem um problema, disse por fim o meu pai, está convencido de que não é cão.

3.

(Esta noite atiraste ao ar a tigela da água, como costumavas fazer sempre que estava vazia, esqueci-me de enchê-la, ouvi-te perfeitamente a sacudi-la, estavas a chamar por nós, não disse nada a ninguém, ainda vão julgar que estou a ouvir coisas, mas logo não me esquecerei, podes estar descansado, quando vieres verás que a tigela está cheia, se a dona perguntar por que lhe ponho água, direi que são hábitos, ou talvez não, talvez lhe diga a verdade: O cão está cheio de sede.)

4.

Até o nome era esquisito. Quando chegou, andavam os meus filhos entusiasmados com a estória do Kurika, de Henrique Galvão.

– Como é que querem chamar-lhe?, perguntou a mãe.

– Kurika, responderam os rapazes.

E assim ficou: Kurika, nome de leão. Que, diga-se de passagem, ele imitava. Não que soubesse, embora parecesse que sim. Pelo andar, pelo rosnar que pendia para o rugido, por um não sei quê que lembrava a majestade leonina.

– Kurika!

Ele erguia a cabeça e deixava-se ficar, as patas dianteiras cruzadas, como um leão sentado no seu trono imaginário.

5.

(Hoje foi de manhã, um pouco antes da Goreti chegar, não sei como conseguiste safar--te, andavas no corredor de um lado para o outro, de repente ouvi-te ladrar nas escadas de serviço, como dantes, como sempre, só que desta vez não foi ela a abrir-te a porta, quem terá sido?)

6.

Veio antes de a minha filha nascer. Mas não teve ciúmes dela, recebeu-a como um novo membro da família. Porque era assim que ele se sentia, membro da família, cão como nós. Se para ele a minha mulher era mãe, os filhos eram irmãos. Valha a verdade que era assim que os rapazes o viam: como um irmão. Muito mais tarde, quando o Kurika teve o primeiro ataque, Afonso, o filho do meio, com ele ao colo, dir-me-ia:

– É um irmão.

A relação mais complicada era comigo. Não só entre mim e o cão, mas entre mim e a família por causa do cão. Nunca me olhou como pai, nem eu lho consentiria. Cão é cão. E só muito a custo se foi resignando a aceitar-me como dono. Talvez porque eu o fizesse sentir mais cão do que ele gostaria de ser, o seu comportamento em relação a mim foi, durante muito tempo, contraditório, oscilava entre a submissão e a revolta, a fidelidade e a independência, entre o cão e não cão. Eu também não estava disposto a abdicar e, assim, na sua relação comigo, prevaleceu sempre o seu destino de cão. É certo que às vezes me rosnava. Mas um cão não rosna ao dono, mesmo que se trate de um cão com a mania que o não é. Por isso tinha que o meter na ordem. O que às vezes fazia, confesso, com algum prazer, revoltado com as liberdades que ele se permitia com o resto da família. Então era preciso repor a hierarquia, eu era o dono, ele era o cão, eu levantava a mão e ele agachava-se.

– Fica!

E ele ficava mesmo, nem que tivesse que o empurrar para baixo até ele se deitar, sempre contrafeito, olhando-me de esguelha, jamais convencido de que entre humanos e cães há uma diferença e que essa diferença é favorável aos primeiros. Era um cão rebelde, teimoso, de certo modo subversivo. Às vezes insuportável.

– Como nós, diriam depois os meus filhos.

7.

(É capaz de haver moira na costa, andas outra vez a passar as noites com o focinho encostado à porta e a gemer, há por aí cadela saída, não me admirava que fosse a do prédio do lado, aquela que morreu no ano passado.)

8.

Vingava-se quando eu saía a passear com ele. Então fazia gala em demonstrar que se estava nas tintas para as minhas ordens.

– Fica!

É o ficas.

Dava a volta ao quarteirão, comigo atrás, de passo estugado, a chamar em vão por ele, envergonhado com o olhar das pessoas que sorriam divertidas com aquela falta de respeito do cão pelo dono.

Uma vez foi atrás de uma cadela saída e obrigou-me a correr pela Alameda Afonso Henriques acima e continuar pela Manuel da Maia até à Praça de Londres. Apetecia-me matá-lo, mas a dona da cadela, quando finalmente o agarrei e me preparava para fazer justiça, começou a elogiar aquele grande sacana.

– Que cãozinho tão bonito, derreteu-se ela. É um spaniel, não é?

– Não, minha senhora, é um épagneul-breton.

– Ah, mas é tão giro.

Apeteceu-me dizer-lhe tal cadela tal dona, mas tive de engolir em seco e ainda por cima agradecer.

Com ele a olhar para mim, de língua de fora, ia jurar que a sorrir.

9.

(A filha mais nova cresceu muito, agora, aos sábados, sai com o grupo de amigas e amigos, sei muito bem que ficas à espreita até ela voltar, depois dormes em frente do quarto dela, estás a guardá-la outra vez, eu sei, que queres que eu faça, a gente nova gosta de sair à noite, não posso fechá-la em casa, nem ela pode ficar sempre pequenina, há um momento em que já ninguém cabe no berço.)

10.

Cão como nós, diziam muitas vezes os rapazes que, entretanto, foram crescendo, enquanto o cão ia envelhecendo e afirmando cada vez mais a sua diferença e singularidade.

– Cão como tu, dizia a minha filha, sempre que eu desabafava e protestava contra aquela irresistível tendência do cão para não obedecer.

Cão como tu, dizia ela. Mas a verdade é que o cão, quando ela era bebé, a protegia contra tudo e contra todos, mesmo contra a minha mãe. Foi uma noite, num velho hotel das Caldas. Ela estava a dormir num quarto ao lado de minha mãe. O cão tinha ficado a guardá-la. Pelo menos auto-atribuía-se essa missão. A meio da noite a pequena deve ter chorado. Quando a avó a foi espreitar, o cão transformou-se em leão. Foi o cabo dos trabalhos.

É certo que ele tinha umas contas a ajustar com a senhora. A minha mãe dizia que cães dentro de casa nem pensar. E num Natal, em Águeda, pespegou com ele no antigo canil onde outrora o meu pai tinha os cães de caça. Em vão protestaram os rapazes. Em vão avisei que o cão ia ladrar dia e noite. Em vão minha mulher explicou que o cão estava habituado a ficar dentro de casa e nunca se resignaria ao canil. Minha mãe manteve-se inamovível. Meu pai, talvez para pôr água na fervura, disse aos rapazes que se queriam fazer dele um cão de caça tinham de habituá-lo ao canil.

— Mas ele não precisa de canil para caçar. Ele é o nosso cão e está acostumado a viver connosco.

Cão como nós, pensei eu, mas não disse nada, dividido entre a satisfação de ver finalmente o cão ser tratado como cão e a esperança de que a lendária teimosia de minha mãe acabasse dessa vez por ser vencida por aquele cão que não queria ser cão.

Três dias e três noites ele ladrou sem parar. Três dias e três noites ninguém conseguiu pregar olho.

– Estupor do cão não pára de ladrar, disse minha mãe, muito tensa.

– Isto não é um ladrar, corrigiu o filho mais velho, ele está a falar.

Mas isso já eu sabia há muito tempo, o cão tinha acabado por conseguir ladrar quase como quem fala e o sonho dele era o de ser o primeiro cão a pronunciar uma palavra.

E até certo ponto, à maneira dele, disse a palavra não. Porque à quarta noite em que se levantou para conseguir o impossível, que era calá-lo, meu pai acabou por se virar contra a minha mãe, com aquela sua conhecida frase dos momentos de cólera:

– Eu quero que se trabalhe isto tudo, ou o cão vem para casa ou vou eu dormir para a pensão.

Ao fim e ao cabo, foi uma confrontação intensa entre dois temperamentos parecidos, o da minha mãe e o do cão. A senhora acabou por ceder e o cão veio dormir para dentro de casa, o que nunca, até então, com qualquer outro tinha acontecido. Foi uma vitória significativa daquele cão chamado Kurika.

11.

(Sei muito bem que as pessoas saem dos retratos, sei isso desde pequeno, mas tu não, estás proibido de voltar a fazer o que fizeste esta noite, não posso entrar na sala e ver outra vez a tua moldura vazia.)

12.

Não eram, como se vê, relações simples. O cão introduziu na família novos sentimentos, alianças subtis, divisões por vezes inesperadas, tensões nem sempre resolvidas. E conseguiu fazer de mim, durante muito tempo, o mau da fita. Principalmente para a minha filha. Sempre que me zangava com o cão, logo ela me atirava:

– Lembra-te que ele te salvou a vida.

O que, ainda por cima, até certo ponto era verdade.

Foi numa tarde de Agosto, na praia. Eu tinha chegado a casa cansado da pesca, não estava mais ninguém, ou melhor, estava o cão que era quase alguém, pus um café a aquecer no fogão e deitei-me por cima da cama. Adormeci, o café entornou-se, acordei agoniado e meio

tonto, com o barulho do cão a raspar furiosa-
mente a porta envidraçada do quarto.

Consegui levantar-me, lembrei-me do
café, corri a apagar o fogão, abri as janelas e
saí para o terraço. Nunca se esclareceu se a
porta da cozinha estava aberta ou não. Se sim,
não há dúvida de que o cão veio raspar a porta
para me salvar, se não o que ele estava a fazer
era a tentar safar-se a si mesmo. Seja como for,
com intenção ou sem ela, fiquei a dever-lhe
aquele raspanço. E com ele, segundo a minha
filha, provavelmente a vida.

13.

(Agora que voltei a caçar escusas de estar aí a fazer a parte, o meu pai conhecia-te de ginjeira, sei muito bem que estás a fingir, andas aí a farejar não sei o quê e ainda não deste com uma perdiz morta, quanto mais as de asa, olha, aí está uma, *ferida, ferida,* busca lá cão, vê se me ajudas.)

14.

Cão é cão, costumava dizer o meu pai. Cão
é cão, dizia, em certos momentos de revolta,
minha mulher. Mas quem é que o convencia?
Quem é que, ao fim e ao cabo, a nós próprios
nos convencia? Porque mesmo eu, ainda que
também, às vezes desesperado, quase gritasse
cão é cão, a verdade é que nem eu conseguia
ter com o bicho, se assim se pode chamar-lhe,
relações de pessoa a cão. Não direi que eram
de pessoa a pessoa, não cairei nesse exagero,
mas eram relações algo híbridas, digamos que
entre humanos e um cão que tendia a deixar
de o ser sem todavia lograr ser mais que cão.
O que era sumamente complicado.

Por exemplo: quando comecei a dedicar-
-me à pesca ao achigã, quase todos os fins-de-
-semana saíamos para o campo, primeiro para

o Lavre, depois para o açude do Vale do Cobrão. Ao princípio, ainda o cão se sentou a meu lado, à espera. Mas assim que viu o peixe, cheirou e olhou para mim sem disfarçar o seu desdém. Posso mesmo garantir que abanou a cabeça, tal como, segundo o meu pai, fazia um dos seus cães sempre que o via errar uma perdiz.

É isto normal num cão? Olhar para o dono com desdém e abanar a cabeça em sinal de reprovação?

Agora, que voltei a caçar, sempre gostava de saber o que ele diria, quero dizer faria, quando abato uma perdiz ou um tordo largo.

Mas a verdade é que depois de eu deixar de caçar e o meu pai morrer, o cão ficou, por assim dizer, desempregado.

Então começou a caçar sozinho. Sobretudo na Foz do Arelho. De quando em quando aparecia com um coelho ou uma perdiz na boca, todo contente, a dar ao rabo. Eram momentos de trégua.

– Cão bonito, dizia-lhe eu, fazendo-lhe festas ou apertando-lhe o nariz para ele largar a presa. Nessas alturas ele portava-se como um cão propriamente dito, dava corridas e pulos de contentamento. O que me fez chegar à conclusão de que tudo seria diferente se ele tivesse podido ser, como era por certo a sua vocação, um cão de caça. De certo modo foi um desperdício. Hoje sei que teria sido, apesar dos tiques, um cão de caça excepcional. Mesmo que por vezes abanasse a cabeça quando eu errasse um tiro.

Estou ainda a vê-lo a correr pelos campos do Vale do Cobrão atrás de tudo e de nada, coelhos e lagartos, perdizes, borboletas, lebres. E talvez vento. Foram os seus momentos mais felizes. Tanto que meu filho Afonso, quando o via lançar-se atrás da caça que trazia na imaginação, costumava dizer: Quando o Kurika morrer venho enterrá-lo aqui, assim poderá continuar com o avô as caçadas eternas.

15.

(Já sei que está um grande atirador, é meu filho, que é que querias, não estejas aí a abanar a cabeça, lá por eu ter falhado uma perdiz e ele ter feito um double, é claro que ele atira melhor, não precisas de mo dizer, ele próprio se encarrega disso, pena que o avô não esteja cá para ver, mas quem sabe se está ou não, olha, aí vem uma, quieto, cão, esta é minha.)

16.

Queria sempre estar connosco a sós. Ladrava ao carteiro, ao electricista, a quem quer que não fosse da casa. Cão exclusivista. Mas também actor. Quando havia visitas mudava de táctica. Com total perversidade, ele, que nunca prestava vassalagem a ninguém, escolhia uma vítima, aproximava-se devagar e encostava a cabeça a pedir festas, expressão de mágoa e súplica, como quem diz: Já que eles mas não fazem faça-mas você.

Teatro, puro teatro. Mas havia quem se deixasse levar. Uma amiga da casa chegou a dizer: O cão anda triste, deve estar cheio de carências.

E ele enroscado na sala, a olhar de soslaio para nós, com ar de gozo.

Em momentos assim, até os meus filhos perdiam a cabeça. Então, quando as vítimas saíam, fechavam-no de castigo na cozinha. Causa perdida. Ele começava logo a uivar e a raspar.

17.

(É melhor que não faças fitas, são pessoas de cerimónia as que estão cá hoje, deixa os chocolates em paz, não me obrigues a dar uma sapatada num cão que não se vê.)

18.

– Fiteiro, disse eu numa dessas ocasiões.

– Como tu, retorquiu Joana, minha filha. Tu também fazes fitas, pai, às vezes amuas para chamar a atenção ou para que a gente te dê mimos, o cão percebe isso tudo. E os manos fazem a mesma coisa. Até a mãe. O cão imita-nos a todos, tudo o que ele faz é para que se repare nele e se lhe dê mais carinho. Não é por ser cão que ele não tem sentimentos.

Cão como nós, pensei. Mas preferi calar-me. A minha filha era igual a mim, igual ao cão, igual aos outros. Nunca se deixaria vencer ou convencer. Por isso não lhe dei troco. Por comodismo. Como o cão, quando se ralhava com ele e ele fazia a parte que não ouvia e continuava a dormir ou a fingir que dormia, enroscado na sala sobre si mesmo.

19.

(O melro está outra vez na Praça João do Rio onde costumas passear, deitaram abaixo o salgueiro onde ele fazia o ninho, não só o dele, mas todos os outros que estavam no passeio, alguns moradores queixaram-se do pólen que lhes caía sobre os carros, é gente que dobra o pijaminha, não gosta de árvores, nem de melros, nem de cães, a propósito, escusas de baixar o pescoço para eu te pôr a trela, não vou descer contigo ao jardim levando pela mão uma trela sem nada ou, pelo menos, com um cão que só eu pressinto.)

20.

– Será que o cão tem espírito?, perguntou-me o filho do meio.

Olhei para ele surpreendido. E acabei por responder:

– Não sei sequer se nós próprios temos espírito ou se é o espírito que nos tem ou está em nós.

– É isso o que eu queria dizer. Olha para ele.

Era um fim de tarde de Agosto, o cão estava parado frente ao mar, o pêlo muito luzidio, a cabeça levantada, narinas abertas, sorvendo o ar.

– Ele está a cheirar o espírito. O espírito da terra, o espírito do vento, o espírito das águas.

21.

– Para onde é que vai o Kurika quando morrer, perguntou-me certo dia a minha filha, depois de um dos ataques do cão.

– Para onde vamos todos nós.

– Mas para onde?

– Talvez o Kurika saiba. Eu não.

22.

(Há momentos em que parto para não sei onde. Navegação espiritual. Ou dispersão na terra abstracta, a única que se vê quando não se vê. São as grandes caçadas dentro de mim mesmo, a busca da magia perdida, uma palavra cintilante, uma perdiz imaginária, um sopro, um ritmo, uma espécie de bafo. Como o teu. Às vezes sinto-o, outras não. Mas sei que estás aí, algures, enroscado na minha própria solidão.)

23.

Havia muitas coisas que o cão sabia, sem que ninguém lhas tivesse ensinado. Por exemplo: nadar.

Um dia, era ainda um cachorro, ladeámos um braço do açude do Vale de Cobrão para irmos pescar mais para o fundo. Por qualquer razão ele ficou para trás, ou porque tivesse adormecido, ou porque andasse a correr atrás dos cheiros a caça que a brisa trazia.

Quando viu a minha mulher, que para ele, como já disse, era a mãe, na outra margem, começou a gemer e a correr aflito de um lado para o outro. Até que se atirou à água. Eram aí uns sessenta metros, mas ele nadou sem hesitação, sempre a olhar na direcção da dona. Nadava e gemia, por vezes ladrava. Eu tinha a sensação de que ele estava a chamar pela mãe.

24.

Mais tarde, na praia, sempre que nos lançávamos à água ele ficava agitado. Mas mantinha-se em terra enquanto a minha mulher lá estivesse. Assim que ela vinha nadar connosco, logo ele se lançava à água, passava-lhe à frente e procurava empurrá-la para a praia. Por mais esforços que fizéssemos para ele a deixar em paz, ele não desistia. Nós podíamos ir pelo mar dentro, a dona não. Não queria perder a mãe outra vez.

25.

(Não entres assim comigo nesta água escura, estamos na Foz do Arelho e isto não é
um verso traduzido do irlandês, menos ainda
um título de romance, sequer uma paráfrase,
é o mar da Foz, o Atlântico em estado puro,
o mar mais bravo e mais íntimo que conhece-
mos, o nosso mar, há ondas de dois ou três
metros, aquele corveiro está com certeza cheio
de robalos, não entres assim comigo nesta água
escura.)

26.

Quando envelheceu, passou a ter mais relutância em meter-se dentro de água. Se a minha mulher se afastava um pouco mais, ele abocanhava a toalha, atirava-a ao ar e começava a ladrar. Se ela nadava a favor da corrente, ele vinha pela margem fora de toalha na boca. Era uma cena que se repetia e começava a juntar pessoas que vinham ver aquele cão que trazia na boca a toalha da dona como forma de lhe dizer que o seu lugar era em terra. Então eu tinha ternura pelo cão. A agitação dele era uma forma de amor. Um amor atento, aflito e vigilante. Estou a vê-lo na praia, de toalha nos dentes. Cão bonito, apetece-me dizer-lhe.

27.

(Podes correr comigo pela praia fora, aqui ninguém nos vê, somos só nós e o mar, saltas a meu lado como se fosses um pedaço de areia e vento, uma estátua movente, cão de água, anda daí comigo por esta noite dentro.)

28.

Cão bonito, dizia eu, em momentos raros. E era um acontecimento lá em casa. Os filhos como que se reconciliavam comigo, minha mulher sorria, o cão começava por ficar surpreendido e depois reagia com excesso de euforia, o que por vezes me fazia arrepender da expressão carinhosa.

Cão bonito. E ei-lo aos pulos, a dar ao rabo, a correr a casa toda.

Digamos que aquele cão era quase um especialista nas relações com os humanos. Tinha o dom de agradar e de exasperar. Mas assim que eu dizia – Cão bonito – ele não resistia. Deixava-se dominar pela emoção, o que não era vulgar num cão que fazia o possível e o impossível para não o ser.

Mas faça-se justiça: sempre partilhou as nossas alegrias e as nossas tristezas. Estou a vê-lo no dia do funeral do meu pai. Quando viemos do cemitério ele correu a casa toda, percebeu que havia uma falta, ou talvez sentisse uma presença que nós fisicamente já não sentíamos. Subiu escadas, desceu escadas, entrou e saiu de cada sala, deu voltas ao jardim, tornou a correr a casa toda. Até que de repente parou e foi enroscar-se, como sempre, aos pés do meu pai, quero dizer, em frente da cadeira vazia onde meu pai costumava sentar-se. Ou talvez para ele a cadeira não estivesse assim tão vazia.

– Ele está a sentir o avô, disse o meu filho mais velho.

E talvez fosse verdade. Talvez para ele o meu pai estivesse ali. Talvez ele estivesse mesmo deitado aos seus pés. Talvez o meu pai lhe estivesse a fazer uma festa, o que era um facto verdadeiramente excepcional. E talvez só ele a sentisse. Não víamos o que ele via e não sabíamos o que ele sabia.

29.

(É possível que o meu pai também ande por aí. Às vezes sinto-o dentro de mim, ele apodera-se dos meus próprios gestos, entra no meu andar, não é a primeira vez que a minha irmã me diz: Pareces o pai.

Mas não sei se ela sabe que a cadeira vazia do pai não está vazia, há nela uma ausência sentada e agora, sempre que vamos a Águeda, há, a seus pés, outra ausência enroscada.)

30.

Na véspera do meu pai morrer, o cão começou a uivar ao princípio da tarde. Uivou toda
a noite, até o telefone tocar de madrugada.
Então aproximou-se de mim e encostou a
cabeça à minha mão. Ficou assim muito tempo
e eu acho que ele estava a chorar comigo.

31.

(É verdade, cão, os camaradas são cada vez menos, uns morreram, outros estão-se nas tintas, ficam connosco as sombras dos campos de batalha, os ecos, os rumores, as horas de tudo ou nada, as balas tracejantes, os amores intensos, eternos, breves, fica connosco, como disse o poeta, a flama inconquistada. Sim, eu sei, cão, o melhor amigo do homem, etc., tretas, quantas vezes tu próprio me traíste e me enganaste, agora estás aí, pode não estar mais ninguém mas tu estás sempre, ainda que sombra, não mais que sombra, amigo do homem, camarada cão.)

32.

Quando o mais velho esteve em Timor, nos dias terríveis da Unamet, o telefone tocava de madrugada. Antes que qualquer de nós atendesse, já o cão lá estava, a tremer e a gemer, a querer ouvir e a querer falar. Ele sabia quem estava do outro lado, pressentia o perigo e queria de qualquer modo partilhar connosco a aflição e também a alegria de em cada manhã sabermos, apesar dos tiros que se ouviam pelo telefone, que o Francisco estava bem. Eu fazia-lhe uma festa, por vezes tentava que ele ouvisse a voz que falava de longe. Não sei se ele ouvia se não, sei que começava a dar ao rabo e desatava às corridas pela casa fora, sinal de contentamento.

E quando alguém telefonou e nos disse – Pedimos voluntários para continuarem na

Unamet e o vosso filho foi o único que se ofereceu – mesmo então, quando a minha mulher e eu nos abraçámos, mesmo então, quando eu disse ao cão – O nosso Francisco é um valente – tenho a certeza que ele partilhou connosco a angústia e o orgulho, o medo de o perdermos e o orgulho de sabermos que ele estava a fazer o que devia.

Nunca como então eu senti o cão tão perto de nós. Sem propriamente ter mudado de feitio, ele estava por assim dizer mais atencioso, seguia-nos pela casa toda, estava, como nós, à espera, como nós, digo bem, como se fosse um de nós. E tenho de reconhecer que era. Um grande chato, sim, um cão rebelde, caprichoso, desobediente, mas um de nós, o nosso cão, ou mais que o nosso cão, um cão que não queria ser cão e era cão como nós.

33.

(Não viste «Ela dançou um só Verão», era um filme sueco e ela chamava-se Ulla, Ulla Jacobson, se não me engano, já não me lembro, todos os poetas lhe dedicaram odes, todos se apaixonaram, afinal era uma imagem, apenas uma imagem, mas nós éramos novos e era Verão, o rapaz do filme, que éramos nós todos, às tantas apalpava-lhe os seios e, naquela altura, isso era o mesmo do que trincar outra vez a maçã proibida, coisas de homens, tu sempre tiveste cadelas concretas que te chamavam pelo cheiro, por que é que falo disto, como fazer compreender a um cão que tudo passa e não se dança senão uma só vez.)

33.

Cão obcecado. Tarado sexual, digo eu. Apaixonado, corrige a minha filha. Começou na praia, com uma cadela rafeira. Foi para ele uma iniciadora, misto de amante, mãe, irmã e puta. Passou as férias em cima dela. A cadela deixava, sem grande entusiasmo, mas dir-se-ia que com ternura e compreensão. Ou compaixão. Parecia muito velha para ter filhos, mas uns tempos depois apareceram uns rafeiros malhados do Kurika. Ou vice-versa.

Todos os Verões ele se apaixonava. Então ficava de nariz colado à porta da entrada. Abria-se a porta e ficava marrado em frente da casa da favorita. Gemia de amor, aquele cão Romeu que queria estar o mais perto possível da sua Julieta.

Às tantas desaparecia. Voltava passados dois ou três dias, mais morto que vivo, a cheirar a cadela e ao pó dos caminhos.

Eram amores de praia, intensos e passageiros.

No Verão seguinte apareciam novos Kurikas, alguns com uma estrela branca no meio da cabeça.

34.

(Sim, cão, eu sei que é difícil, não só para ti mas para aqueles de quem mais gosto, não posso fazer nada, não estou a ouvir ou estou a ouvir outras vozes, estou e não estou, mas é por isso que te pressinto e sei que estás aí, se não fosse como sou já tinhas morrido completamente.)

35.

Alguém falou da tristeza e do vazio do olhar dos animais. Vi a tristeza, em certos momentos, no olhar do cão. A tristeza de quem quer chegar à palavra e não consegue. Mas não vi o vazio. O vazio está talvez nos nossos olhos. Quando por vezes nos perdemos dentro de nós mesmos. Ou quando buscamos um sentido e não achamos.

O cão sabia o sentido, o seu sentido. E nunca se perdia.

36.

Ou por outra. Houve uma vez. Há sempre uma vez. Ainda hoje não é claro o que aconteceu.

Tínhamos ido à praia no fim do Inverno. Eu fui pescar, o resto da família foi dar uma volta pelas redondezas. O cão ficou comigo, mas já se sabe que ele desprezava a pesca. Deve ter ido à casa que alugamos no Verão e não encontrou ninguém. Procurou no local das barracas e não viu barracas nem família.

A G.N.R. disse depois que quem o levou o tinha encontrado na estrada, de um lado para o outro, a ladrar, desorientado. Talvez estivesse, mas não perdido. Deve ter sido para ele um cenário de pesadelo: a casa fechada, a ausência das barracas no sítio onde normalmente elas estão. Como é que queriam que o cão ficasse?

Poder-se-á perguntar por que não voltou para junto de mim. Além de não gostar de pesca é possível que nesse dia, ele tivesse, por momentos, perdido o sentido. Ou a tramontana, chame-se-lhe o que se quiser. Admito que sim. Quem o levou sabia de cães, como veio a confirmar-se. E das duas uma: ou ficou impressionado com a atarantação de um épagneul-breton L.O.P. (via-se à vista desarmada a alta linhagem do cão) julgando que tinha sido abandonado ou, partindo embora deste pressuposto, meteu-o dentro do carro para ver o que a coisa dava. Pelo sim pelo não avisou a G.N.R.

O certo é que o pânico se instalou em toda a família, a começar por mim, confesso, quando já depois de a noite cair não se vislumbrava rasto do cão. Procurou-se por toda a parte, fomos a várias casas onde em diferentes Verões tínhamos estado, corremos os restaurantes, perguntámos aos amigos. Algumas pessoas tinham-no visto na praia. Outras perto da Cabana do Pescador, o restaurante que fica junto à praia. Mas acharam normal. Pensaram: Fulanos estão cá.

A G.N.R. foi extraordinariamente diligente. Em pouco mais de uma hora já sabia onde estava o cão. A rapidez foi facilitada pelo facto de quem o levou ter comunicado ao posto mais próximo que tinha «encontrado perdido» um cão com aquelas características.

Dois dias depois o cão estava de volta. Veio amuado, não ligava a ninguém.

– O cão está zangado, não fala connosco, comentou um dos meus filhos.

Era verdade. Durante uns dias o cão não falou. Digo bem: não falou. A fala é muito complicada. Está antes da palavra, como a poesia. E aquele cão falava. Falava com os seus vários modos de silêncio, falava com os olhos, falava, até, com o rabo, falava com o andar, com as inclinações da cabeça, com o levantar ou baixar as orelhas. Daquela vez calou-se por completo. Não falou com nenhum dos seus sinais. Nem sequer com o seu silêncio.

37.

– Como a mãe, diria depois a minha filha.
A mãe quando se zanga também não fala.

– Ou como o pai, acrescentaria mais tarde.
O pai fica assim quando está preocupado. Ou
como eu, ou como os manos. É de família. Ou
berramos muito ou então calamo-nos.

Assim ele estava. Como nós.

38.

(Zanguei-me com toda a gente, não me deixes agora, é em momentos assim que um homem precisa do seu cão.)

39.

Nunca fomos capazes de decifrar o mistério. Algumas aproximações, talvez. Mas não mais. Permanecerá sempre o mistério do cão fascinado ou aterrorizado perante «Astúrias», de Albeniz. Punha-se o disco e ele aí vinha, estivesse onde estivesse, vinha logo. Ficava como que petrificado, ou hipnotizado, ou marrado, diga-se como se preferir. Mas a partir de certa passagem da música, sempre a mesma, começava a uivar. Era difícil dizer se de alegria ou dor, euforia ou medo, ou tudo misturado.

– Talvez os seus antepassados tenham sido cães de ciganos e a música lhe desperte essa memória genética, está a ouvir as guitarras antigas, aventurava-se o filho do meio.

– Talvez a música lhe fira os ouvidos e seja para ele uma coisa insuportável, arriscava o mais velho.

Se fosse, ele fugia. Mas não. Ficava ali. A gozar e a sofrer com a música de Albeniz.

Até que um dia a minha filha disse uma coisa extraordinária.

– O coração da terra, ele está a ouvir o coração da terra.

É possível que sim. Ou o primeiro latido do primeiro homem, o primeiro uivo, o som primordial.

40.

(Também eu estou a ouvir a música, não
a tua, mas as canções de Lorca, o duende a
cantar nos rebordos da ferida, dizia ele que só
então a poesia acontece. Não, não vou pôr
«Astúrias», de Albeniz, no compacto, não
quero que voltes a uivar ao som primordial,
talvez agora saibas o código indecifrável, talvez ladrasses o nome de Deus e isso seria por
certo insuportável, vamos ficar com o Lorca,
Doze Canções para Guitarra tocadas pelo Paco
de Lucia, ou talvez pelo duende, o das mãos
de sombra.)

41.

Depois do meu problema de coração, o cão começou a olhar-me de outro modo. Talvez tenha compreendido que, tal como ele, eu já não tinha o mesmo ritmo. O certo é que as nossas relações mudaram substancialmente. Não que ele tivesse passado a considerar-me seu pai e eu, a ele, muito menos meu filho. Cão é cão. Mas de certo modo fomos ficando mais próximos, diria até mais companheiros.

Ele vinha deitar-se ao pé de mim sempre que eu estava a ler, a escrever, ou simplesmente a ver televisão. E à hora da refeição foi junto à minha cadeira que ele passou a enroscar-se, cada vez com mais frequência.

Eu gostava. Comecei até a ter um certo orgulho nisso e a sentir uma íntima satisfação com os ciúmes que essa atitude do cão provocava nos restantes membros da família.

Por vezes sentado sozinho na sala, apenas com o cão por companhia, pensava que, contrariamente ao que ele supunha, não eram precisas palavras para entendermos o essencial: que tudo é uma breve passagem e que não há outra eternidade senão a da solidão partilhada. Ou no amor, ou na camaradagem das grandes batalhas, ou no silêncio de uma sala entre um leitor e um cão.

Talvez estivéssemos a ficar parecidos e até nos imitássemos um ao outro.

A tal ponto que certa vez o meu filho do meio me perguntou o que é que estava a dizer.

– Não estou a dizer nada, respondi.

– Se calhar foi o cão.

– Então o cão agora fala como eu?

– Não, mas resmunga como tu.

42.

(Houve um poeta que me disse que o mundo, tal como está, pode matar. Não vou deixar que isso aconteça, sei bem que tenho uns ferros no coração e que de repente posso começar a escorregar para dentro de mim mesmo. Então não se consegue parar. Foi isso mesmo que o Zeca Afonso disse ao ouvido da mulher quando estava a morrer: Não consigo parar. Sei perfeitamente o que ele queria dizer. Mas não vou deixar que o mundo, tal como está, dê cabo de mim. Tenho as minhas canas de pesca e as minhas espingardas. É sempre possível ir aos robalos, dar uns tiros. Ou então pegar na caneta e vir para aqui falar contigo. Um cão nunca abandona o dono. Mesmo que não te veja, sei que estás aí: é quanto me chega. As minhas armas e eu. O meu cão e eu.)

43.

Dei então por mim a conversar com o cão, sempre que estávamos sós. Digo bem: conversar. Porque se ele nunca chegava, como pretendia, à enunciação, não tenho dúvida de que compreendia a humana fala. Pelo menos a nossa. Falava-lhe das caçadas que podíamos ter feito e não fizemos. Tentei explicar-lhe a magia da pesca, mas isso foi coisa que ele nunca aceitou. Quando voltei a caçar, normalmente na companhia do meu filho do meio, contava-lhe as proezas de cada um. Também lhe falava de versos, é verdade, como às vezes não tinha ninguém a quem ler de imediato um poema acabado de escrever, lia-o ao cão. Ele gostava. Não sei se do poema. Mas de que lho lesse. Ou do ritmo, do som, fosse do que fosse. Não que uivasse como com a música de Albeniz. Mas creio que ele também gostava da música da poesia, da alquimia do verso, da litania e da celebração mágica que todo o poema é. Algo que os bichos talvez entendam melhor do que os especialistas de literatura.

Às vezes eu dizia-lhe aquele fabuloso verso de Camilo Pessanha:

«Só incessante um som de flauta chora.»

E ele arrebitava as orelhas. Tenho a certeza de que estava a ouvir a flauta.

44.

O primeiro ataque foi fortíssimo: convulsões, espasmos, o cão caía, tentava levantar-se, voltava a cair, a espernear e a revirar os olhos. Pensou-se que era o fim. O filho do meio, que sempre teve com o cão uma especial cumplicidade, pegou nele ao colo, chamou a mãe e abalaram para a clínica veterinária.

Disseram-lhes que tanto podia ser um tumor cerebral como um ataque epiléptico. De qualquer modo era muito grave. O cão ficou na clínica, sedado, com esperanças quase nulas.

Fizemos o primeiro luto. Chorou o filho do meio, a filha, a mãe, eu próprio limpei uma lágrima. O mais velho não estava em casa, soube pelo telefone, não sei se chorou ou não.

Mas na manhã seguinte telefonaram da clínica a dizer que o cão tinha ressuscitado, estava normal, cheio de vida, a ladrar.

— Está a chamar por nós, disse o meu filho e correu a buscá-lo.

O cão entrou em casa todo lampeiro.

— É uma força da natureza, disse o rapaz, um verdadeiro resistente, não quer morrer nem por nada.

— Como o pai, acrescentou a rapariga, o pai também teve duas paragens cardíacas e não se deixou morrer.

— Ele está vivo porque quer estar junto de nós, rematou a minha mulher.

Eu olhei para o cão e não disse nada.

45.

Mas nunca mais foi o mesmo. Talvez por causa da medicamentação passou a dormir muito mais tempo. Andava meio zonzo pela casa, começou a sofrer de incontinência. Levava-se à rua e ele não fazia. Mal voltava a casa descontrolava-se.

A minha mulher tinha muita pena do cão, mas recomeçou a dizer a palavra fadário. E era. O cão ficou desregulado.

Mas ninguém tinha coragem de tomar uma decisão. E o filho do meio, mal o cão dava uns passos sem cambalear, começava a dizer que ele estava óptimo.

Recusava-se a admitir a evidência. O cão não queria morrer e o rapaz queria pura e simplesmente abolir a própria ideia da morte do cão.

– Qualquer dia volta a ser o mesmo, dizia.

46.

Mas não. Ainda teve uns sobressaltos e uns lampejos. Por vezes descia e subia as escadas de serviço, entrava em casa a correr e a dar ao rabo, estava dois ou três dias sem se descontrolar. Sol de pouca dura.

Passava da breve euforia a uma prolongada prostração.

Ainda foi à praia e ao campo. Voltou a levantar a cabeça, a correr pela praia, a farejar como quem sorve todos os cheiros que vêm no vento.

Sucederam-se outros ataques, outras corridas para o veterinário, outros lutos antecipados.

Mas o cão recusava-se a morrer. Vinha a manhã e chamavam da clínica para o irem buscar.

— Não nos quer deixar, dizia a minha mulher. Isto é um fadário, para ele e para nós.

47.

Num princípio de tarde de Fevereiro, o cão começou a andar às voltas sobre si mesmo. Julguei que estava fixado numa mosca, como às vezes acontecia. Depois percebi. A cabeça estava torta, não se aguentava nas patas, começou a ir de encontro às paredes e aos móveis, caía e já mal se levantava, creio que deve ter perdido a visão.

Veio a empregada e disse:

– O cão está a morrer.

Ainda conseguiu levantar-se, mas andava todo torto, a cabeça de lado, ora procurando a empregada ora encostando-se a mim, a respiração cada vez mais ofegante, ele cada vez mais torto e cansado.

Chamei a minha mulher e lá fomos mais uma vez para a clínica.

Assim que o viu, o médico abanou a cabeça. Olhou para nós e não disse nada. Deitou-o e o cão pareceu sossegar. A minha mulher e eu começámos a fazer-lhe festas. Mas ele já nem sequer tentou soerguer-se. Revirou os olhos para mim e eu compreendi que era um olhar de despedida.

– Deixem-se estar – disse o médico.

E ali ficámos, sempre a fazer-lhe festas. A minha mulher chorava e eu até um beijo dei ao cão. Respirava cada vez com maior dificuldade. Mas de certo modo estava em paz. Já não resistia. Estava a entregar-se. Eu acho que a nós, mais do que à morte.

48.

– Para onde terá ido o Kurika depois de morrer?, pergunta ainda a minha filha.

As cinzas andam por aí no vento, talvez nas asas de alguma perdiz.

Mas eu gostava que o espírito dele permanecesse aqui connosco. Foi talvez por isso que escrevi este livro. Hoje sei algumas das coisas que ele sabia. Assim como depois de meu pai morrer o cão continuava a deitar-se aos pés dele, tenho a certeza de que estou a escrever com ele deitado ao meu lado esquerdo, como sempre fazia quando eu me sentava no escritório. Estou a escrever o livro e quase sinto a respiração dele. Agora que acabei, posso fazer-lhe uma festa e dizer-lhe:

– Cão bonito.

49.

(Vamos de carro a caminho de Moura, para amanhã, em Sobral da Adiça, caçar aos tordos. Sinto calor aos pés, aposto que estás aí enroscado, vamos de carro a caminho de Moura e um poema começou a esboçar-se dentro de mim, pego num pedaço de papel, é uma conta de cartuchos, não importa, serve, começo a escrever, quando ficarmos sós eu leio-te, é para ti.)

50.

Cão como nós

Como nós eras altivo
fiel mas como nós
desobediente.
Gostavas de estar connosco a sós
mas não cativo
e sempre presente-ausente
como nós.
Cão que não querias
ser cão
e não lambias
a mão
e não respondias
à voz.
Cão
Como nós.

Lisboa, 22.2.2002
Manuel Alegre

COM QUE PENA – VINTE POEMAS PARA CAMÕES
(1992, poesia)
SONETOS DO OBSCURO QUÊ
(1993, poesia)
COIMBRA NUNCA VISTA
(1995, poesia; 2.ª edição, 2003)
30 ANOS DE POESIA
Prefácio de Eduardo Lourenço
(1995; 3.ª edição aumentada, 1998)
ALMA
(1995, romance; 9.ª edição, 2002)
AS NAUS DE VERDE PINHO
(Prémio António Botto, 1997)
(1996, literatura infantil; 2.ª edição, 1998)
ALENTEJO E NINGUÉM
(1996, poesia; 3.ª edição, 1998)
CONTRA A CORRENTE
(1997; discursos e textos políticos)
CHE
(1997; poesia; 2.ª edição, 1997)
SENHORA DAS TEMPESTADES
(Prefácio de Vítor Aguiar e Silva
(1998, poesia; 2.ª edição, 1998)
PICO
(1998, poesia)
ROUXINOL DO MUNDO: DEZANOVE POEMAS FRANCESES
E UM PROVENÇAL SUBVERTIDOS PARA PORTUGUÊS
(1998, poesia – edição bilingue)
A TERCEIRA ROSA
(1998, romance; 3.ª edição, 2000)
UMA CARGA DE CAVALARIA
(1999, conto)
OBRA POÉTICA
(1999, poesia; 6.ª edição, 2000)
LIVRO DO PORTUGUÊS ERRANTE
(2001, poesia; 2.ª edição, 2001)
DIÁLOGOS = CRISTINA VALADA + MANUEL ALEGRE
(2001, poesia ilustrada com aguarelas técnicas mistas)
ARTE DE MAREAR
(2002, ensaios; 2.ª edição, 2002)
CÃO COMO NÓS
(2002, novela; 7.ª edição, 2003)